En souvenir de Carol J. Buckley

*Le rayon de soleil de la bibliothèque Cornell qui gardait toujours
une place dans son cœur pour de nouveaux amis. Nous pensons à toi.*

M. K.

A Priscilla, notre toute première bibliothécaire

K. H.

Le Roi de la Bibliothèque

MICHELLE KNUDSEN

Illustrations de
KEVIN HAWKES

Gründ

Un jour, un lion entra dans
la bibliothèque.
Il passa devant le bureau des prêts et
fila droit vers la salle de lecture.

M. Dubourdon courut trouver la directrice de la bibliothèque dans son bureau.

– Mlle Beautemps! cria-t-il.

– On ne court pas, dit Mlle Beautemps sans lever les yeux.

– Mais il y a un lion qui se promène dans la bibliothèque!

– A-t-il désobéi au règlement? demanda Mlle Beautemps. Elle était très à cheval sur le règlement.

– Eh bien non, avoua M. Dubourdon, pas vraiment.

– Alors, laissez-le tranquille.

Le lion visita la bibliothèque de fond en comble. Il aimait bien renifler les fiches des casiers.

Mais ce qu'il préférait, c'était frotter sa crinière contre les livres neufs qu'on venait tout juste de mettre en rayon.

Fatigué par sa promenade, il partit se coucher dans le coin lecture et s'endormit.

Que fallait-il faire? Le règlement n'interdit pas aux lions de venir à la bibliothèque.

Bientôt, ce fut l'heure du conte. Le règlement n'interdit pas non plus aux lions d'écouter les histoires.

La bibliothécaire qui faisait la lecture semblait un peu inquiète, mais ça ne s'entendit pas du tout quand elle lut le titre de la première histoire. Le lion ouvrit les yeux et tendit l'oreille.

Il resta pour écouter la deuxième histoire. Et puis celle d'après. Il attendait que la bibliothécaire en lise une autre, mais les enfants s'étaient déjà levés.

– C'est fini les histoires, lui dit une petite fille. Il faut s'en aller maintenant.

Le lion regarda tour à tour les enfants, la bibliothécaire qui faisait la lecture, les livres fermés puis il rugit très fort.

RAAAHHRRRR!

Mlle Beautemps sortit de son bureau à grandes enjambées.

– Qui fait tout ce vacarme? demanda-t-elle.

– C'est le lion, répondit M. Dubourdon.

Mlle Beautemps se dirigea vers le lion et lui dit sur un ton sévère:

– Si tu ne sais pas te tenir tranquille, il va falloir que tu t'en ailles. C'est le règlement!

Le lion rugissait toujours, mais d'une voix toute triste à présent.

La petite fille tira sur la robe de la directrice:

– Et s'il promet d'être sage, est-ce qu'il pourra revenir demain écouter les histoires?

Le lion arrêta net son tintamarre et leva la tête vers Mlle Beautemps.
Elle le regarda dans les yeux et dit:

– Oui. Il n'y a aucune raison pour qu'un gentil lion bien calme n'ait pas le droit de venir écouter les histoires demain.

– Youpi! s'écrièrent les enfants.

Le lendemain, le lion était de retour.

   – Tu es en avance, lui dit Mlle Beautemps. La lecture d'histoires ne commence pas avant quinze heures. Mais le lion ne bougea pas d'une moustache.

   – Très bien. Puisque tu es là, autant te rendre utile. Elle l'envoya donc épousseter les encyclopédies en attendant l'heure du conte.

Le lendemain, le lion était de nouveau en avance.
Cette fois-ci, Mlle Beautemps lui demanda de lécher
toutes les enveloppes des avis de retard.

Très vite, le lion prit l'habitude de rendre service sans même qu'on le lui demande. Non seulement, il époussetait les encyclopédies et léchait les enveloppes, mais il aidait aussi les petits enfants à attraper les livres des plus hautes étagères en les laissant grimper sur son dos.

Et quand il avait terminé, il se pelotonnait dans le coin lecture et attendait sagement qu'on vienne lui lire des histoires.

Au début, tout le monde avait un peu peur du lion, mais ils s'habituèrent rapidement à sa présence. On aurait juré que ce lion avait été fait pour la bibliothèque. D'abord, ses grosses pattes toutes douces le rendaient très silencieux et les enfants trouvaient qu'il faisait un dossier bien confortable à l'heure du conte. Et puis on ne l'avait plus jamais entendu rugir dans la bibliothèque.

– Comme il est serviable, ce lion! disaient les gens en caressant sa crinière soyeuse lorsqu'il passait près d'eux. Comment faisions-nous quand il n'était pas là?

Lorsqu'il entendit ceci, M. Dubourdon fronça les sourcils. Ils se débrouillaient très bien avant son arrivée. Pas besoin de lion! Un lion, pensait-il, ça ne comprend rien au règlement et ça n'a rien à faire dans une bibliothèque.

Un beau jour, comme il avait déjà époussete toutes les encyclopédies, léché toutes les enveloppes et aidé tous les petits enfants, le lion alla trouver Mlle Beautemps dans son bureau pour voir s'il pouvait lui rendre un autre service. Il avait encore le temps de faire un petit quelque chose avant l'heure du conte.

– Bonjour le lion, dit Mlle Beautemps. Je sais ce que tu pourrais faire. Tu pourrais remettre un livre en rayon pour moi. Laisse-moi simplement l'attraper.

Mlle Beautemps grimpa sur un tabouret, mais elle était encore trop petite. Alors elle se dressa sur la pointe des pieds et étendit les doigts.

– J'y suis presque…

Elle s'étira de tout son long et… patatras !

Aïe! La directrice allongée par terre ne pouvait plus bouger. Quand elle eut repris ses esprits, elle appela à l'aide :

– M. Dubourdon! M. Dubourdon!

Mais M. Dubourdon ne pouvait pas l'entendre car il s'occupait des prêts et des retours.

– S'il te plaît le lion, va chercher M. Dubourdon, demanda Mlle Beautemps.

Le lion sortit comme une fusée du bureau de la directrice.

– On ne court pas! lui cria-t-elle.

Le lion posa ses grosses pattes de devant sur le bureau de M. Dubourdon et le regarda fixement.

– Va-t'en le lion! lui dit-il, tu vois bien que je suis occupé.

Le lion poussa un gémissement. De son nez, il montrait le couloir où se trouvait le bureau de Mlle Beautemps. Mais M. Dubourdon faisait comme s'il n'était pas là. Le lion fit alors la première chose qui lui passa par la tête: il regarda M. Dubourdon dans les yeux, ouvrit grand la gueule et rugit le plus fort possible.

M. Dubourdon en eut le souffle coupé :

– Il est interdit de faire du bruit ! Tu as désobéi au règlement !

Il partit trouver la directrice en marchant aussi vite que le règlement le permettait.

Le lion le regarda s'éloigner. Il avait désobéi et il savait très bien ce que ça voulait dire. Tout penaud, il se dirigea vers la sortie.

M. Dubourdon ne s'en rendit même pas compte. Il était trop occupé à claironner :

– Mlle Beautemps ! Mlle Beautemps ! Le lion a désobéi ! Il a désobéi !

Il se rua dans le bureau de Mlle Beautemps.

Mais elle n'était pas dans son fauteuil.

– Mlle Beautemps ?

– Parfois, lui répondit la voix de la directrice qui venait de derrière son bureau, on a de bonnes raisons de désobéir au règlement. Maintenant, soyez gentil d'appeler un médecin. Je crois que je me suis cassé le bras.

M. Dubourdon courut jusqu'au téléphone.

– On ne court pas ! s'écria Mlle Beautemps.

Le lendemain matin, tout était rentré dans l'ordre. Enfin, presque tout…

La directrice avait le bras gauche dans le plâtre. Son médecin lui avait dit qu'elle pouvait travailler à condition de ne pas faire trop d'efforts.

– Heureusement que mon lion sera là pour m'aider, pensait-elle.

Mais ce matin-là, le lion tardait à arriver. À quinze heures, Mlle Beautemps alla jeter un regard au coin lecture. La dame venait à peine de commencer la première histoire. Toujours pas de lion.

Personne n'arrivait à se concentrer sur son livre ou son ordinateur. Chacun s'attendait à voir arriver d'un moment à l'autre la grosse boule de poils que tout le monde aimait tant. Mais pas un lion ne pointa le bout de son museau ce jour-là. Ni le jour qui suivit d'ailleurs. Ni même le jour d'après.

Un soir, avant de rentrer chez lui, M. Dubourdon s'arrêta devant le bureau de la directrice :

– Puis-je faire quelque chose pour vous avant de partir ?

– Non merci, M. Dubourdon.

Mlle Beautemps regardait par la fenêtre. Elle parlait trop bas. Même si le règlement obligeait à parler tout bas.

M. Dubourdon fronça les sourcils pour mieux réfléchir. En fait, il y avait bien quelque chose qu'il pouvait faire pour Mlle Beautemps.

Il sortit de la bibliothèque mais ne rentra pas chez lui tout de suite.

Il fit le tour du quartier en regardant sous chaque voiture et derrière chaque buisson.

Il chercha aussi dans tous les jardins, toutes les poubelles et même dans les cabanes perchées dans les arbres.

Il finit par rebrousser chemin vers la bibliothèque.

Le lion était assis là, le nez collé aux portes de verre.

— Bonsoir le lion, lui dit M. Dubourdon.
Le lion ne se retourna même pas.

— J'ai pensé que tu aimerais savoir qu'il y a une nouvelle règle à la bibliothèque. Il est toujours interdit de rugir, sauf quand on a une très bonne raison de le faire. Disons, lorsqu'une amie qui s'est blessée a besoin d'aide par exemple.

Le lion dressa les oreilles et tourna la tête. Mais M. Dubourdon était déjà parti.

Le lendemain, M. Dubourdon avait quelque chose à annoncer à Mlle Beautemps.

– Qu'y a-t-il? demanda la directrice de sa nouvelle petite voix toute triste.

– Eh bien j'ai pensé que vous aimeriez savoir qu'il y a un lion qui se promène dans la bibliothèque.

Mlle Beautemps bondit de son fauteuil et partit à toutes jambes vers la salle de lecture.

– On ne court pas! lui dit M. Dubourdon en riant.

Mais elle ne l'écoutait pas.

Parfois on a de bonnes raisons de désobéir
au règlement. Même à la bibliothèque.